Sopro Novo Yamaha

Caderno de flauta doce contralto

Cristal A. Velloso

Nº Cat.: 384-M

Irmãos Vitale S.A. Indústria e Comércio
www.vitale.com.br
Rua França Pinto, 42 Vila Mariana São Paulo SP
CEP: 04016-000 Tel.: 11 5081-9499 Fax: 11 5574-7388

© Copyright 2006 by Irmãos Vitale S.A. Ind. e Com. - São Paulo - Brasil
Todos os direitos autorais reservados para todos os países. *All rights reserved*.

CIP-BRASIL. CATALOGAÇÃO NA FONTE
SINDICATO NACIONAL DOS EDITORES DE LIVROS - RJ.

V552c

Velloso, Cristal A.
Caderno de flauta doce contralto / Cristal A. Velloso.
- São Paulo: Irmãos Vitale, 2006
il., música ; . - (Sopro novo Yamaha)

Acompanhado de CD
ISBN nº 85-7407-218-4
ISBN nº 978-85-7407-218-0

    1. Flauta doce - Instrução e estudo.
       I. Título.
       II. Série.

06-3938.   CDD 788.53
                                                                       CDU 788.52

25.10.06   27.10.06   016755

CRÉDITOS

Diagramação/ Capa: Débora Freitas

Coordenação Editorial: Claudio Hodnik

Produção Executiva: - Kenichi Matsushiro (Presidente da Yamaha Musical do Brasil)
                                 - Fernando Vitale

Revisão: Cristal Angélica Velloso

Coordenação do Projeto Sopro Novo: Cristal Angélica Velloso

Gravação:

Flauta doce contralto: Cristal Angélica Velloso

Teclado: Selma Garde Goes Oliveira

Engenheiro de som: Estúdio Jaburu

Gerente artística: Cristal Angélica Velloso

Arranjos: Claudio Hodnik | Música Bambalalão - Alex Lameira

ÍNDICE

	Página	CD / Áudio	CD / Playback
Introdução	05		
Dicas de Uso e Manutenção	07		
Tipos de Flauta Doce e suas Extensões	08		
Numeração da Digitação	09		
Digitação	10		
O Castelo	12	01	02
O Lago	13	03	04
Pra Cantar e Dançar	14	05	06
O Canário	15	07	08
O Navio	16	09	10
A Marcha	17	11	12
Passeio	18	13	14
O Chinês	19	15	16
A Marcha dos Santos	20	17	18
Inverno Adeus	21	19	20
Pastorzinho	22	21	22
Palmeado	23	23	24
Na Estrada	24	25	26
Sol Nascente	25	27	28
Fá-Cil	26	29	30
Modos	27		
Dona Nobis Pacem	28	31	32
Garfos	29	33	34
Rosa Silvestre	30	35	36
Cânon	31	37	38
Bom Dia	32	39	40
Borboletinha	33	41	42
Minueto (Bach)	34	43	44
Graça Eterna	35	45	46
Siciliana	36	47	48
Relógio	37	49	50
O Tempo	38	51	52
Persistente	39	53	54
Nueces Pequenãs	40	55	56
Bambalalão	42	57	58
Minueto (Scarlatti)	44	59	60
Rondó	45	61	62
Adeste Fideles	46	63	64
Sonata para 2 contraltos - Affettuoso	47	65	
Sonata para 2 contraltos - Allegro	49	66	
Sonata para 2 contraltos - Andante	51	67	
Sonata para 2 contraltos - Presto	52	68	
Dicas de instrumentos para acompanhamento	55		
Biografia	56		

INTRODUÇÃO

Quase todas as pessoas que iniciam o estudo da flauta doce começam tocando a flauta doce soprano.

Essa pratica se deve a idade com que os alunos iniciam seus estudos. Grande parte começa na infância e isso a torna mais eficaz por causa do seu tamanho; que se adapta as mãos das crianças, além de ter um som agudo que se aproxima do timbre e altura das vozes infantis.

A flauta doce contralto nem sempre é apresentada aos estudantes, muitos não a conhecem perdendo a oportunidade de ter contato com um repertório muito rico.

Obras importantes de compositores medievais, renascentistas e barrocos foram feitas para flauta doce contralto além de música contemporânea de excelente qualidade.

Para o aluno adulto, a flauta doce contralto é a mais indicada para iniciar o contato com a família das flautas doce em função da sua sonoridade mais grave, além do instrumento ser anatomicamente adequado devido o seu tamanho.

Dominando as flautas doce soprano e contralto o aluno tem condições de tocar as flautas tenor, baixo e sopranino pois a digitação é idêntica.

Esse caderno foi elaborado com o objetivo de facilitar o contato do aluno com o instrumento através de exercícios fáceis, com musicalidade própria, sem grandes dificuldades técnicas.

Há um CD que exibe a gravação de cada exercício na íntegra e uma execução do playback sem a 1ª voz. Utilize-o para ter a sensação de tocar em conjunto. O seu objetivo é tocar as peças seguindo a marcação metronômica indicada.

Isso não significa que você só deva tocar nessa velocidade, estude mais lento e depois mais rápido para ganhar precisão e agilidade.

Nas peças executadas com quarteto, o playback não conterá a voz do contralto.

Esperamos que este trabalho seja instrumento de motivação para aqueles que se proponham a tocá-lo, e que seja apenas o início de um grande relacionamento com a família das flautas doce.

Bom estudo!

1 Dicas de Uso e Manutenção

Flautas de resina ou plástico:

- Lave as mãos e a boca antes de tocar
- Se alguém tocou antes de você vale a pena lavar com detergente neutro. Principalmente o bocal
- Após utilizá-la seque-a com um pano absorvente (fralda de pano para bebê, por exemplo).
- Caso os encaixes estejam duros você pode lubrificá-los com o creme que acompanha a flauta. Não use vaselina convencional, pois, a mesma é à base de petróleo e pode danificar a resina.
- Guarde-a dentro do estojo em local seco e fora do alcance do sol.
- Lembre-se, seu instrumento é de resina! Evite derrubá-lo no chão!

Flautas de madeira:

- Lave as mãos e a boca antes de tocar
- Não é permitido lavar flautas de madeira, limpe-as com um pano seco por dentro e utilize outro para limpá-la por fora.
- Por uma questão de higiene e saúde evite emprestá-la, a flauta é um instrumento muito pessoal.
- Guarde-a dentro do estojo em local seco. Para evitar a umidade dentro do estojo você pode utilizar 1 saquinho de sílica gel.
- Se sua flauta é nova, é bom amaciá-la antes de tocá-la por muito tempo.

Sugiro os seguintes procedimentos:

1 - Passe um algodão embebido em óleo de amêndoa doce em todo o instrumento (por dentro e por fora) e deixe-a até o dia seguinte em lugar arejado e seco.
2 - No dia seguinte tire o excesso de óleo com um pano seco e repita o processo.
3 - Comece tocando aproximadamente 10 minutos durante 3 dias e vá aumentando o tempo a cada 3 até completar 45 minutos.

Esse processo ajuda na adaptação climática do instrumento, na "abertura" e "amadurecimento" do som, além de ajudar na prevenção de rachaduras no corpo e no bloco da flauta.

Agindo desta maneira você aumentará o tempo de vida útil de seus instrumentos! As Flautas Doce Yamaha agradecem o carinho!

Yamaha Musical do Brasil.
Bom estudo!

2 Tipos de Flauta Doce e suas Extensões

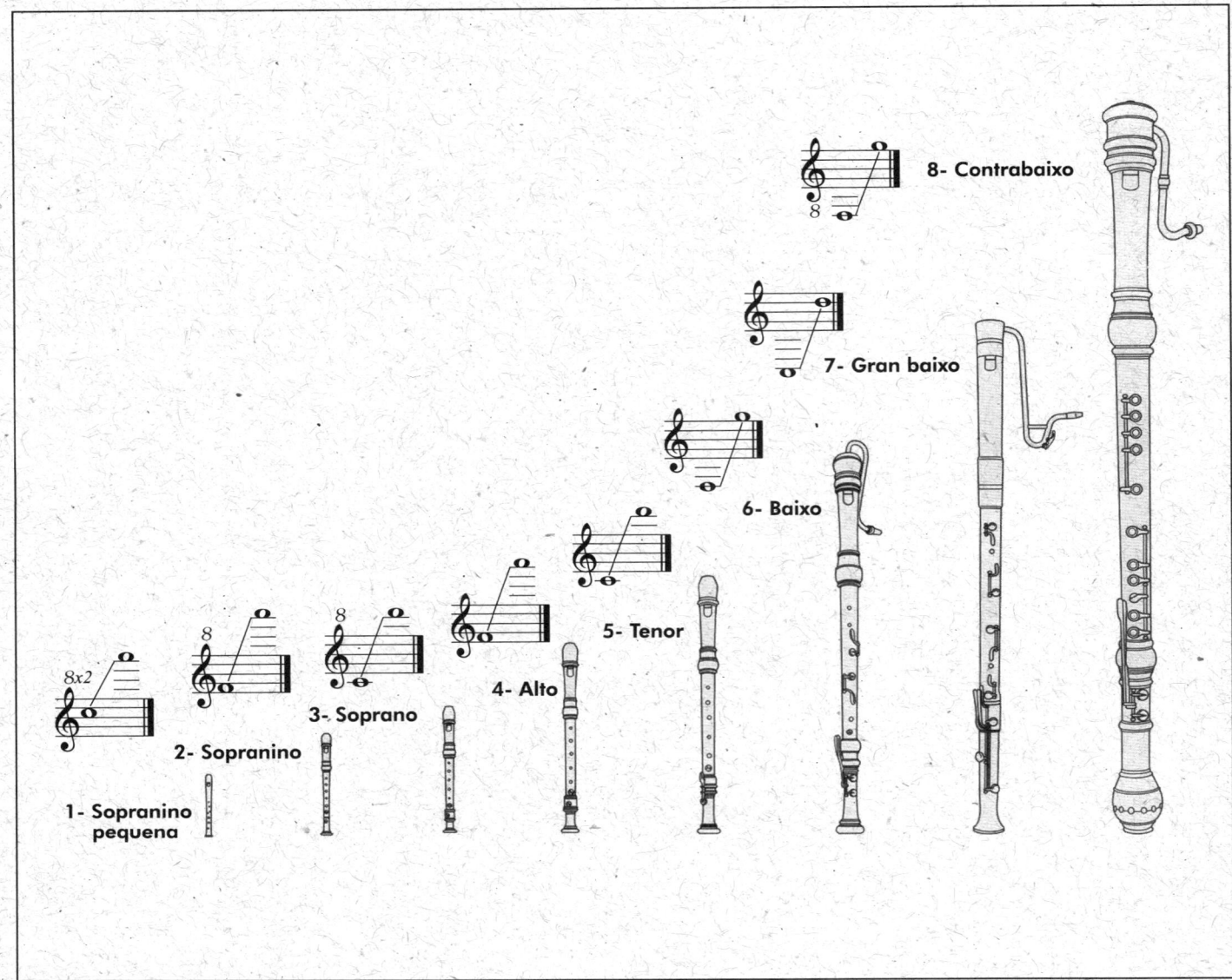

Estes oito tipos de flauta doce se dividem em dois grupos:

O grupo em "Dó" tem a nota Dó como seu som mais grave	O grupo em "Fá" tem a nota Fá como seu som mais grave
1 - Sopranino pequena 2 - Soprano 5 - Tenor 7 - Gran Baixo	2 - Sopranino 4 - Alto 6 - Baixo 8 - Contrabaixo

3. Numeração da Digitação

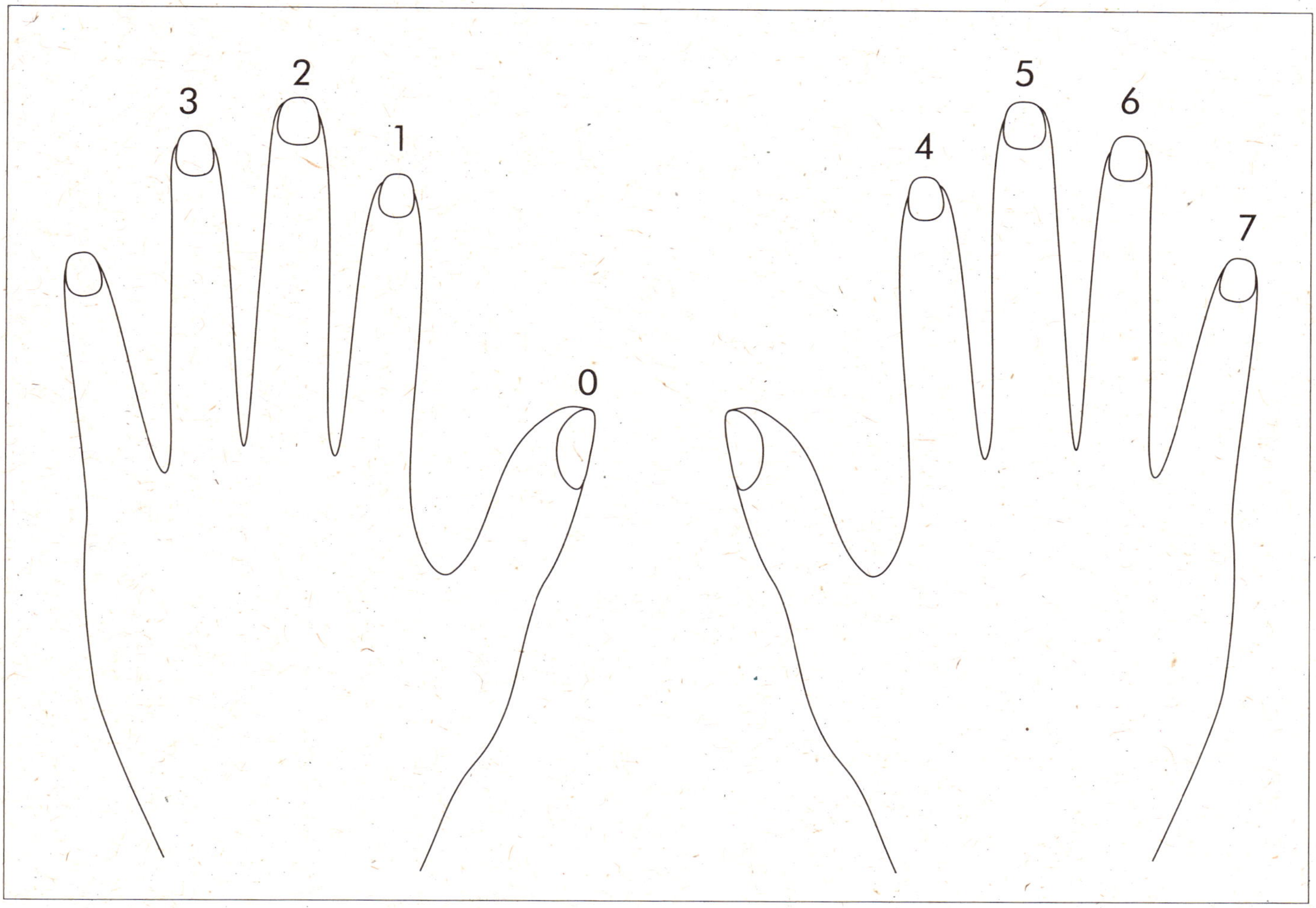

A mão esquerda deve estar sempre acima da direita e a mão direita sempre estará perto do pé da flauta.

Observe o número correspondente a cada dedo:

Mão esquerda	**Mão direita**
Polegar = 0	Indicador = 4
Indicador = 1	Médio = 5
Médio = 2	Anular = 6
Anular = 3	Mínimo = 7

Observe no quadro de imagens que o dedo que não é utilizado na digitação da nota, não aparece na numeração da "tablatura".

Exemplo:

Todas as vezes que for necessária a utilização do "meio furo" aparecerão as seguintes indicações:

 ou

4 Digitação

Digitação para flautas em Fá

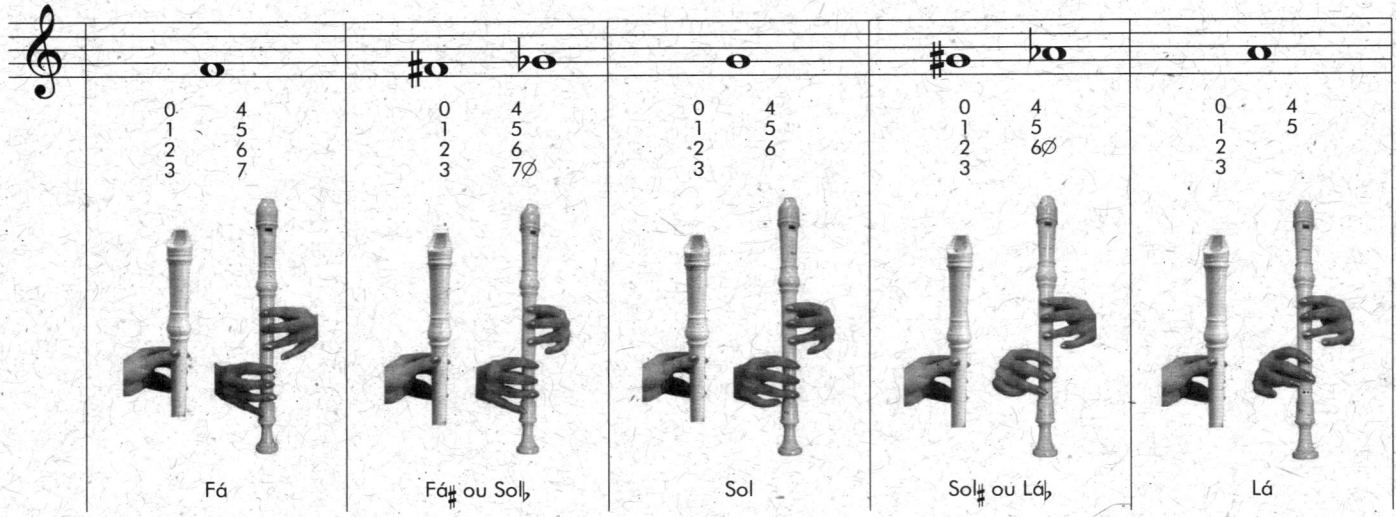

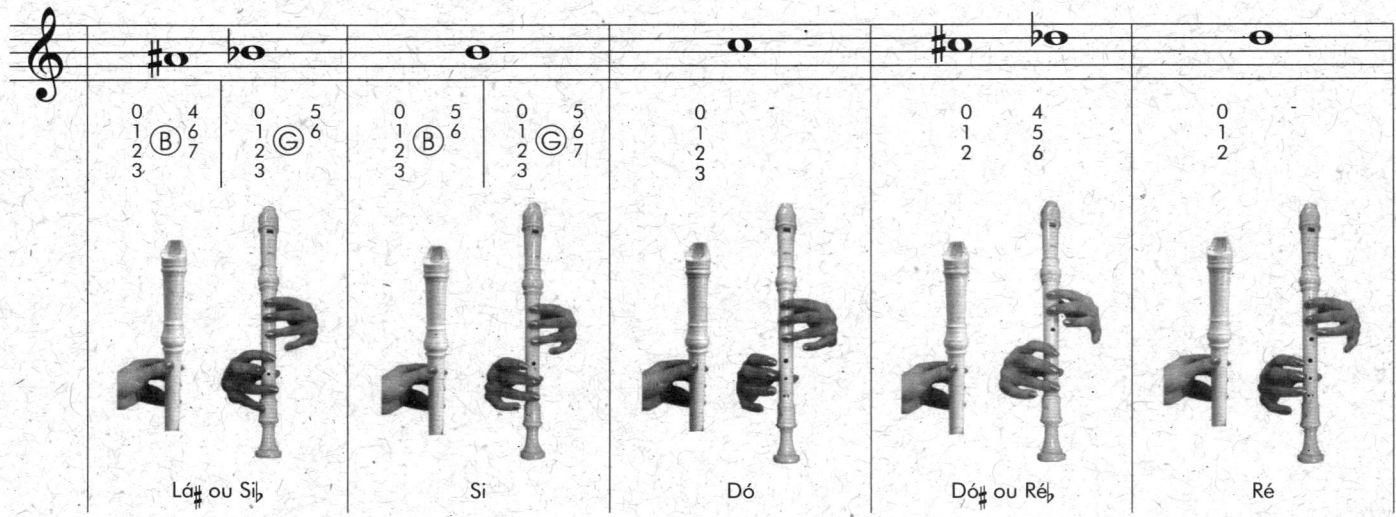

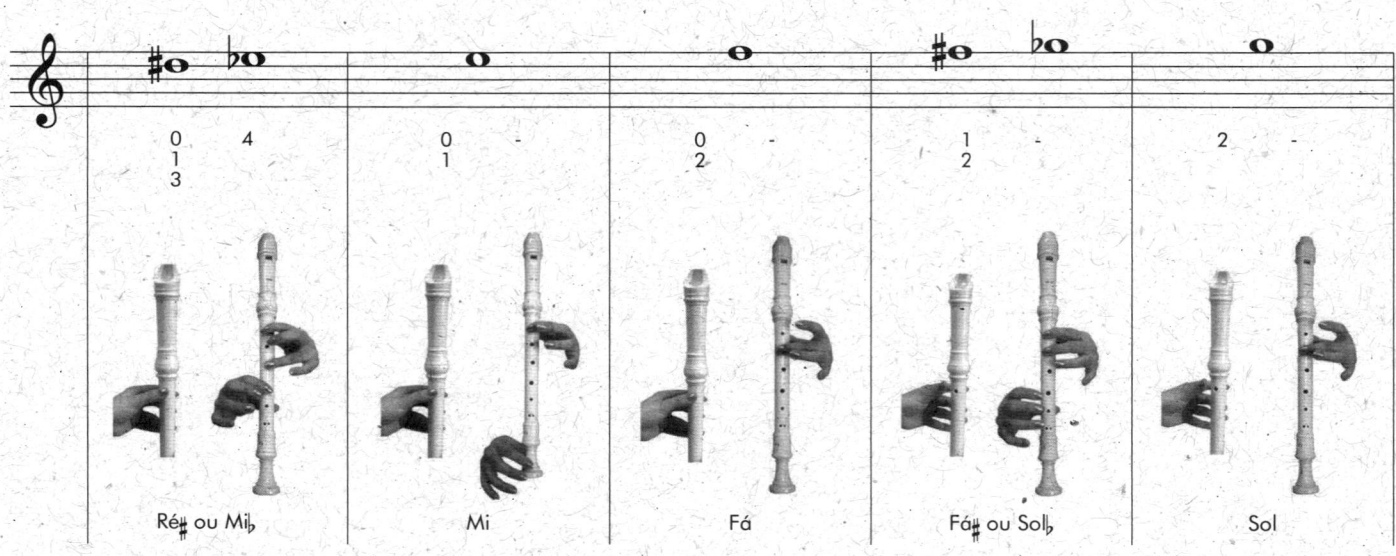

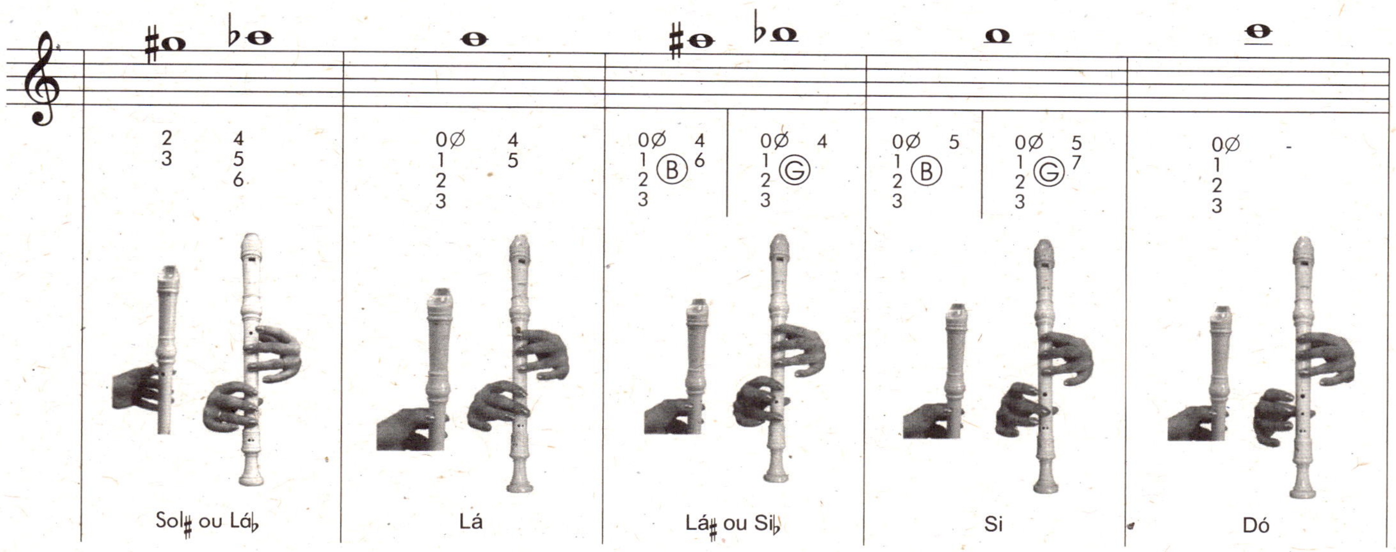

4 Digitação

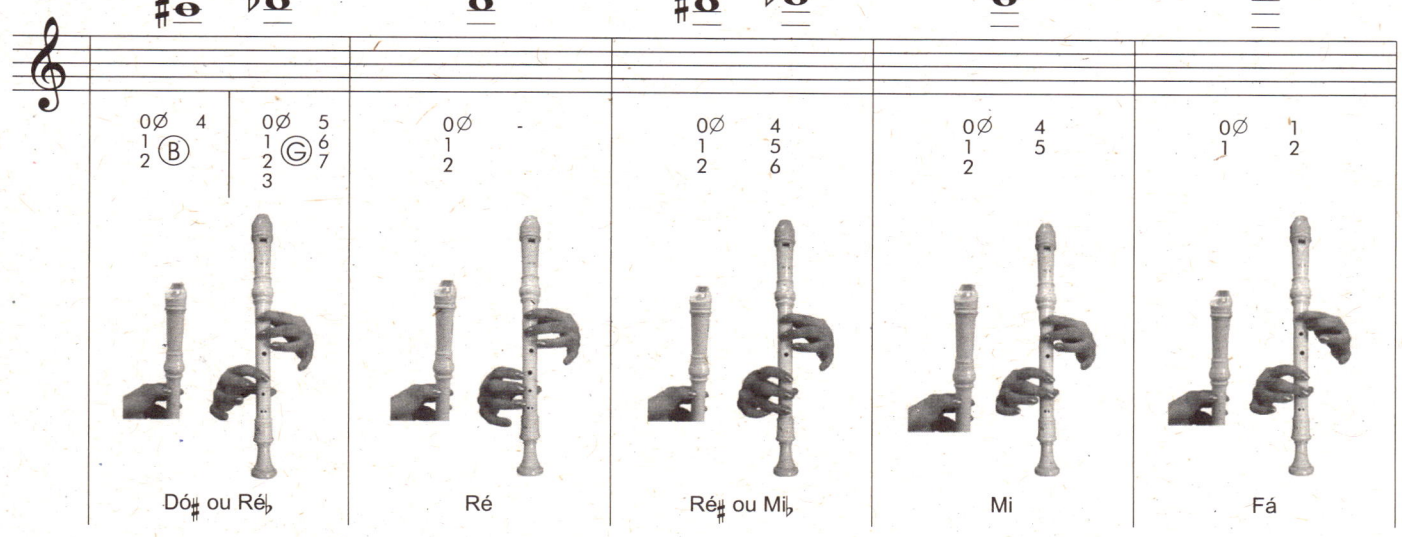

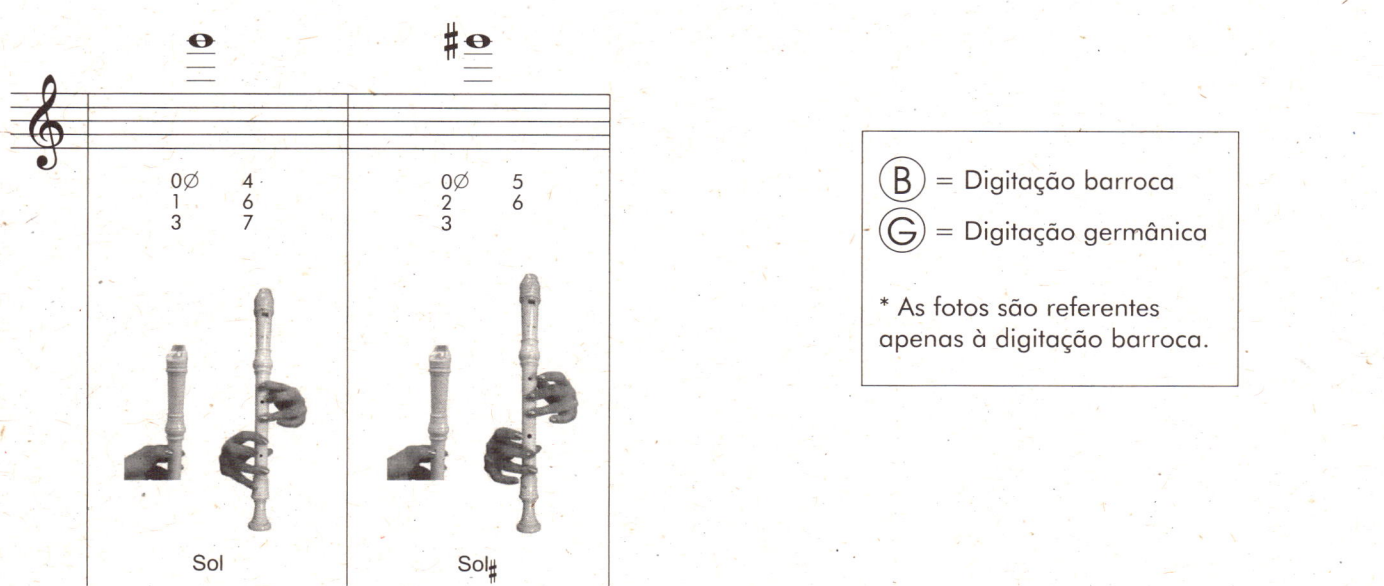

B = Digitação barroca
G = Digitação germânica

* As fotos são referentes apenas à digitação barroca.

Exercícios de encaixe servem para que o aluno realize com a mesma intenção que o professor ou acompanhante executa a sua voz.

É importante que o ouvinte do exercício tenha a sensação de que apenas uma flauta está tocando.

O Castelo
Exercício de Encaixe - Nota Mi

Cristal A. Velloso

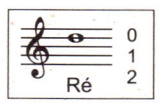

O Lago
Exercício de Encaixe - Nota Ré

Cristal A. Velloso

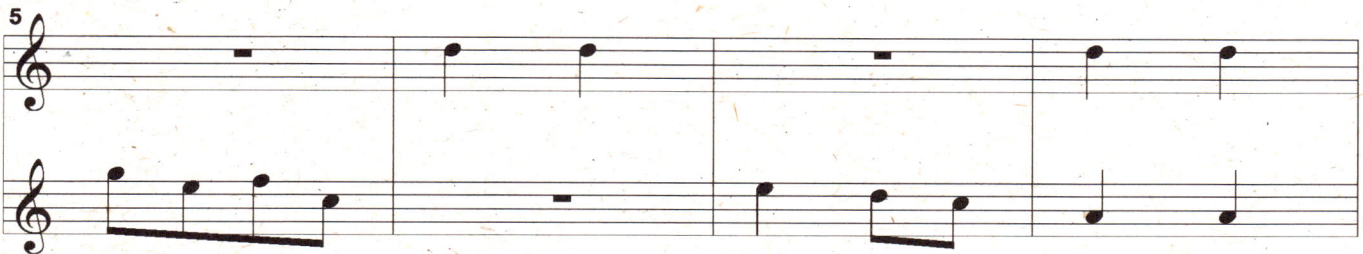

1) Trabalhe o relaxamento e a precisão do movimento do dedo 2 e cuide da articulação do "tu" para que o som saia sem ruído.

2) Crie outra letra para a música e invente outros acompanhamentos de percussão.

Pra Cantar e Dançar

Exercícios - Ré e Mi

5 Solo 6 Playback

Cristal A. Velloso

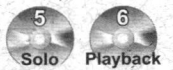

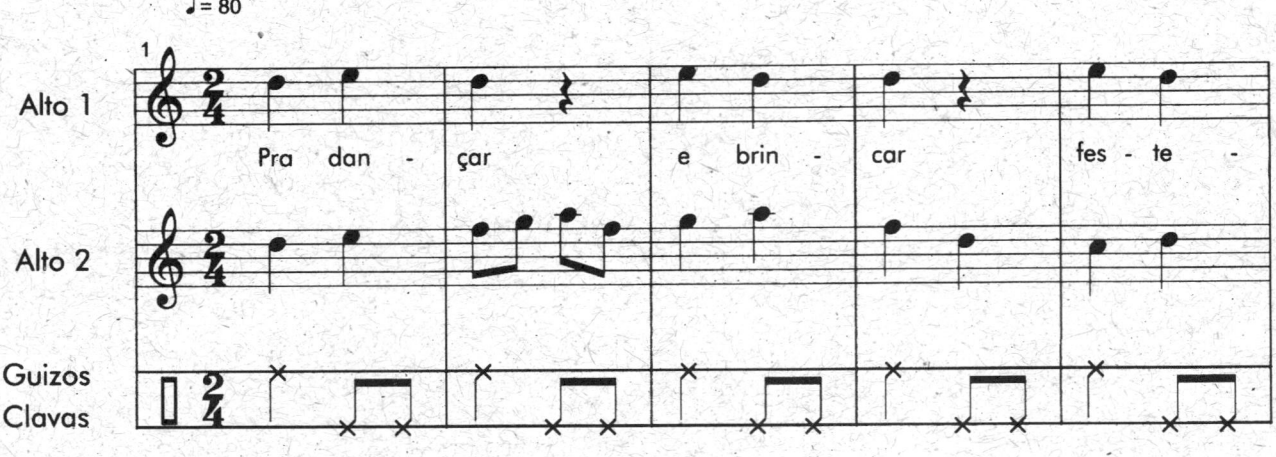

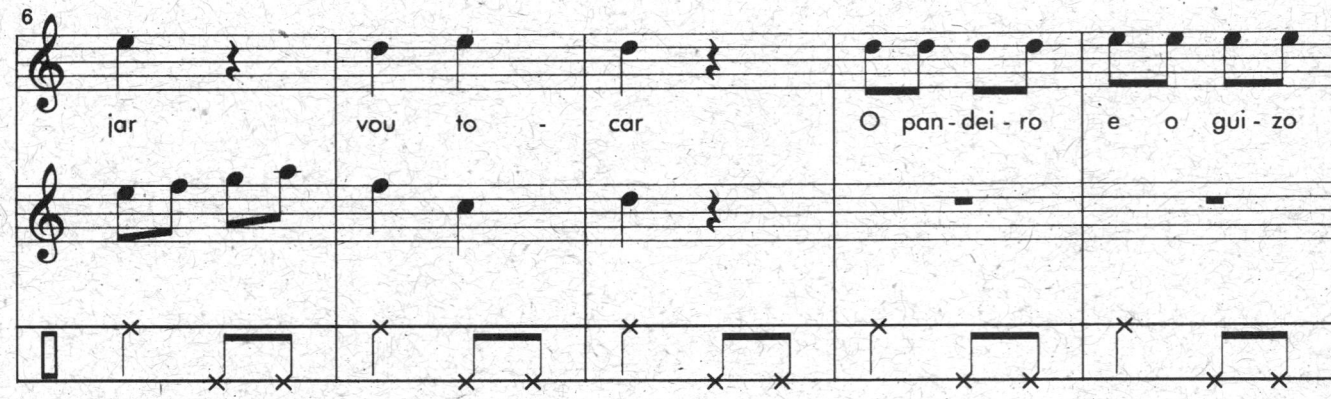

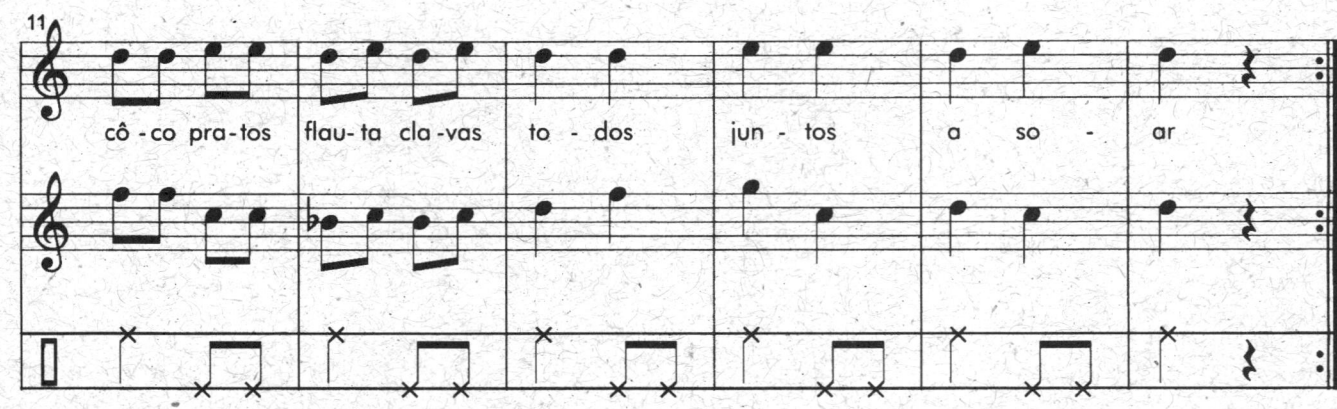

O Canário

Exercício de Encaixe - Nota Dó

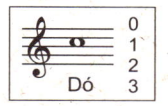

Cristal A. Velloso

O Navio
Exercício - Do, Ré e Mi

Cristal A. Velloso

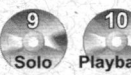

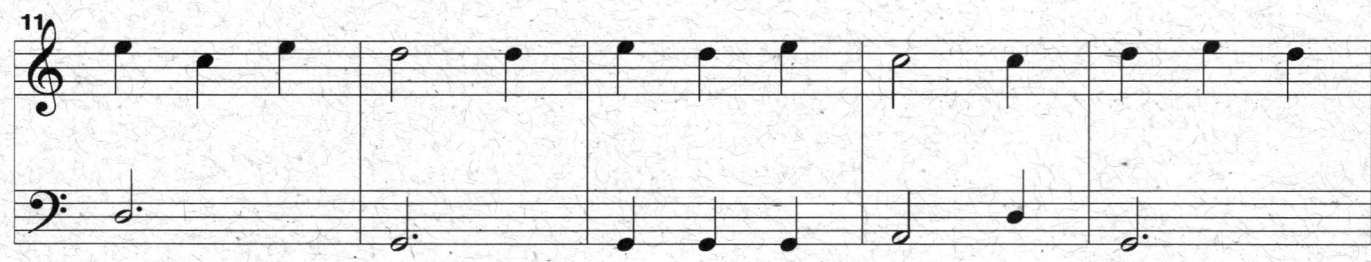

Neste exercício você trabalhará as possibilidades de troca de dedo com a nota Fá.
Fá e Mi, Fá e Ré e Fá e Dó.
Faça lentamente e depois acelere bastante até conseguir realizá-lo prestíssimo.
Após tocar a primeira voz deste exercício, você poderá executar a segunda do primeiro exercício.

A Marcha
Exercício - Fá

Cristal A. Velloso

Preste atenção nos finais de frase:
A 1ª termina com um intervalo de 2ª.
A 2ª termina com um intervalo de 3ª.
A 3ª termina com um intervalo de 4ª.
A 5ª com a nota fá.
Após entender o que está acontecendo, procure tocar o exercício sem ler.

Use articulação dupla nas semicolcheias para ter maior agilidade na execução da 2ª voz, pronuncie: tu tu cu

Passeio
Exercício - Do, Ré, Mi e Fá

Cristal A. Velloso

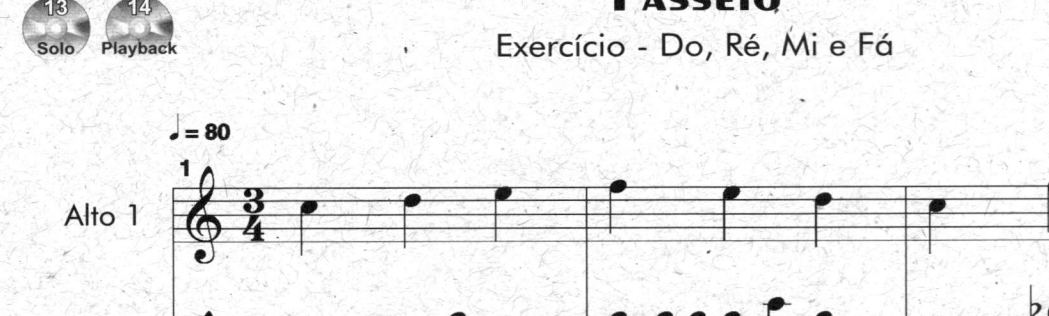

O Chinês

Exercício - Sol

Cristal A. Velloso

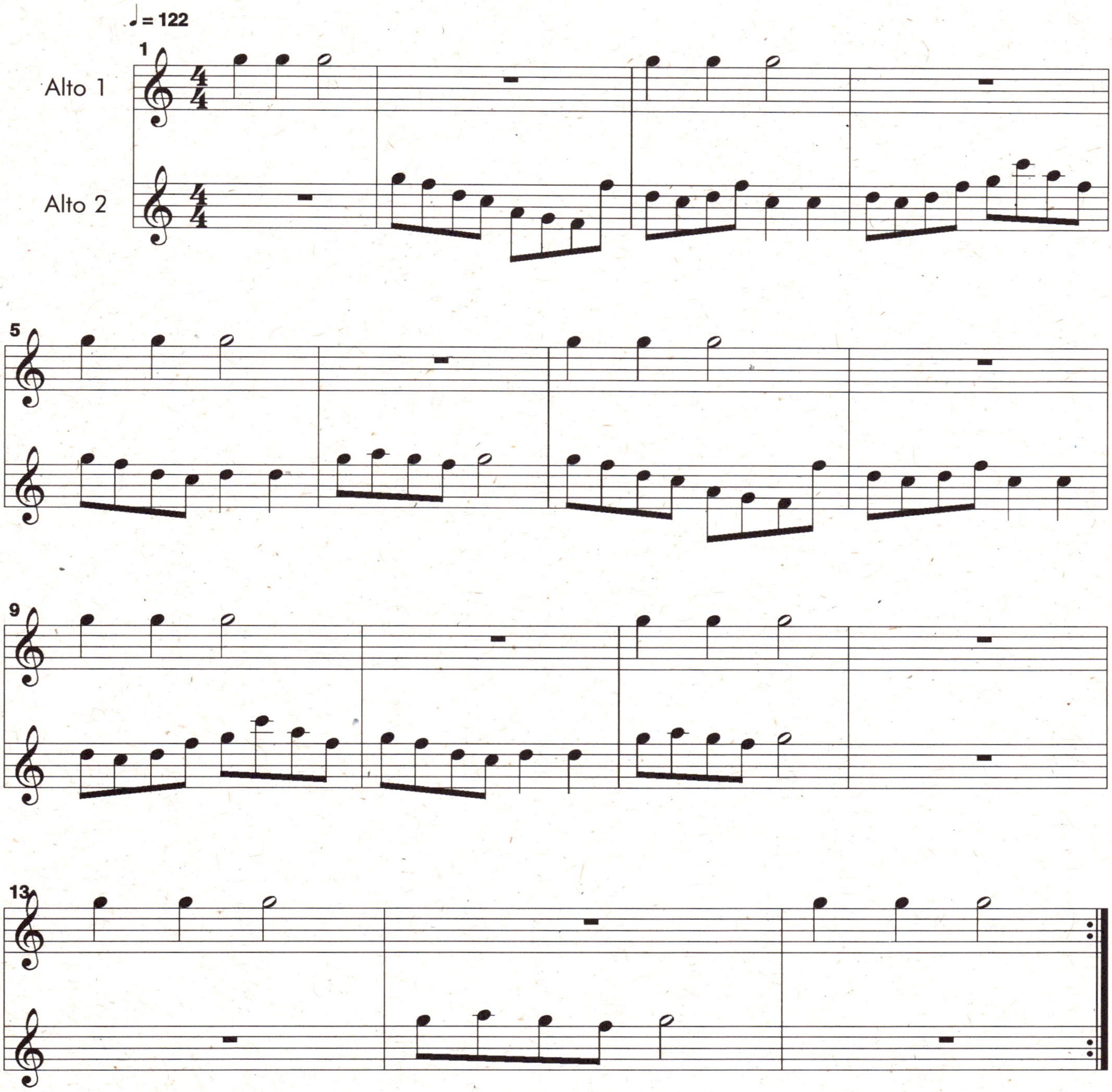

A Marcha dos Santos

Melodia Americana

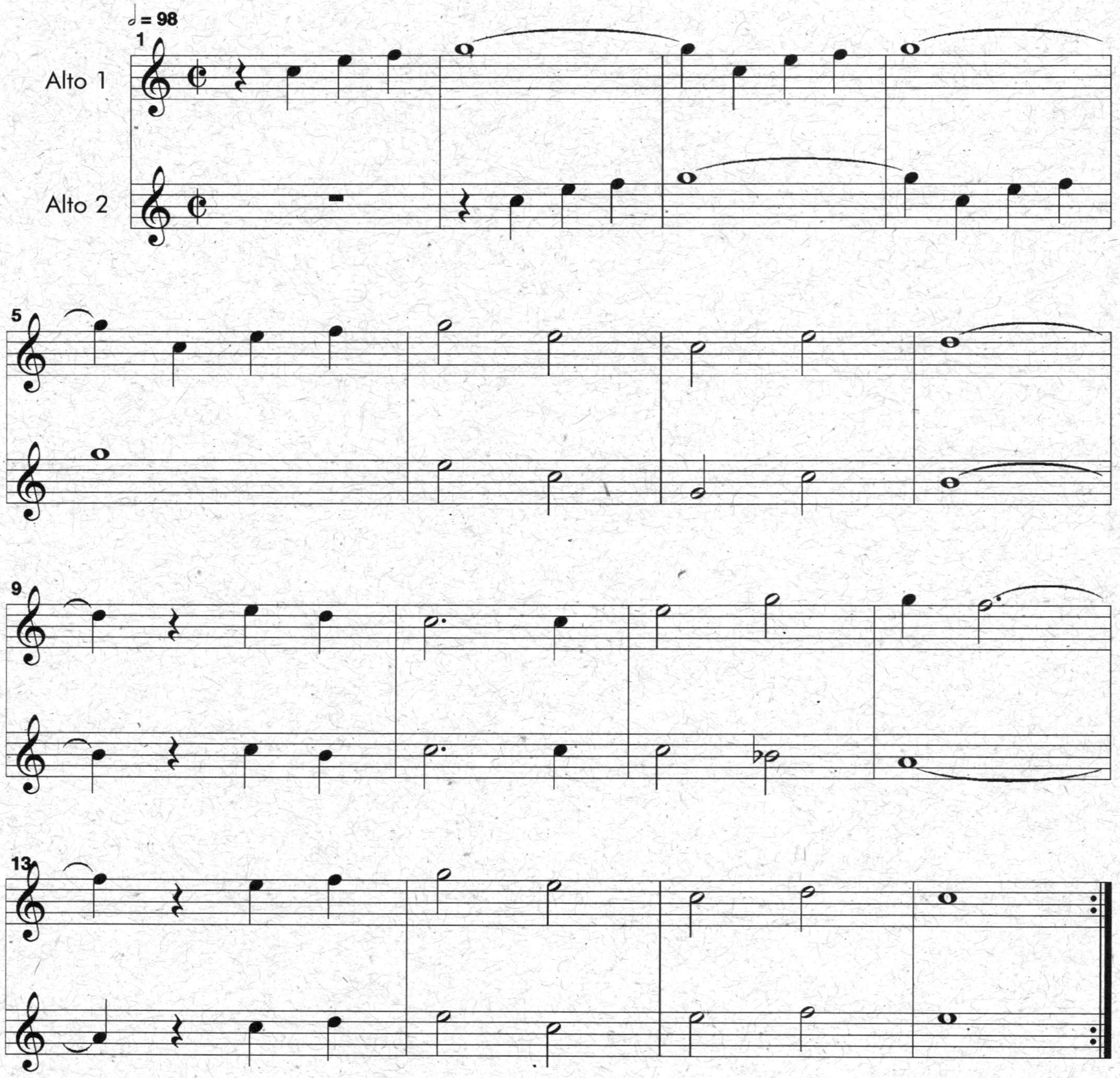

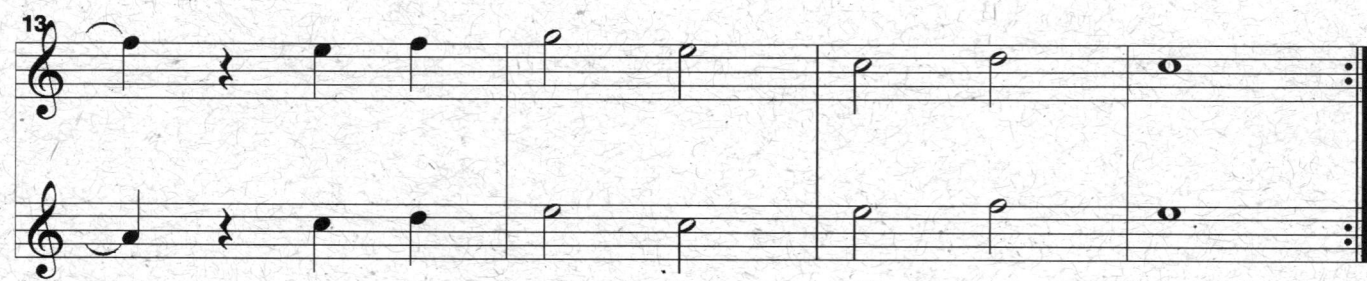

Inverno Adeus

Melodia Alemã

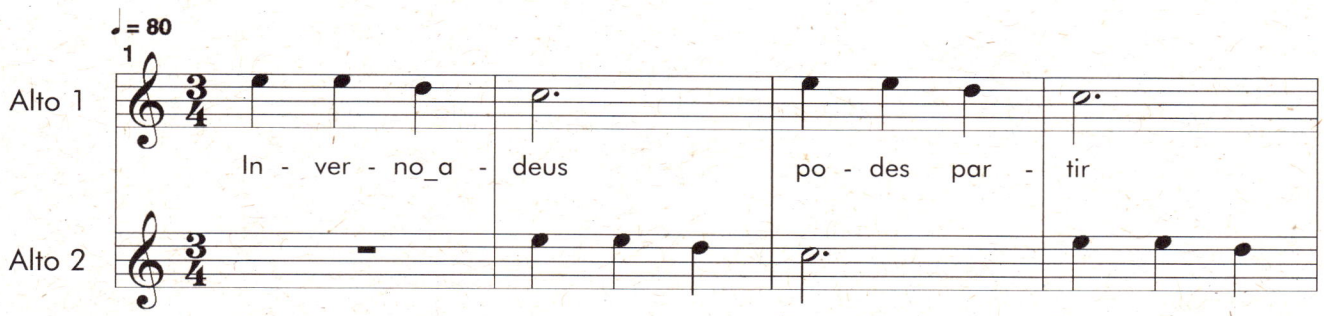

Pastorzinho

Caderno de Flauta Doce Contralto

Faça lentamente e depois acelere bastante.

Palmeado
Mão Esquerda e Percussão

Cristal A. Velloso

Cuidado com a posição do polegar (dedo 0) no Lá agudo.
Dobre a falange do polegar para destapar uma parte do furo.
Não aperte a flauta e não tencione a mão pois você comprometerá sua agilidade.

Na Estrada

Exercício dos Lás

Cristal A. Velloso

Estude primeiro sem as ligaduras e depois com as ligaduras.
O flautista não deve recuar a língua no final da frase . Deixe o som sair naturalmente.

Sol Nascente

Cristal A. Velloso

Fá - Cil

Cristal A. Velloso

5 Modos

Modo Jônio

Modo Jônio 2

Modo Dórico

Modo Frígio

Modo Lídio

Modo Mixolídio

Modo Eólio

Modo Lócreo

Dona Nobis Pacem

Mozart

Não deixe os graves "estourarem". Se preferir fale "to" ao invés de "tu" para conseguir maior precisão.

Garfos

33 Solo 34 Playback

Cristal A. Velloso

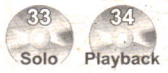

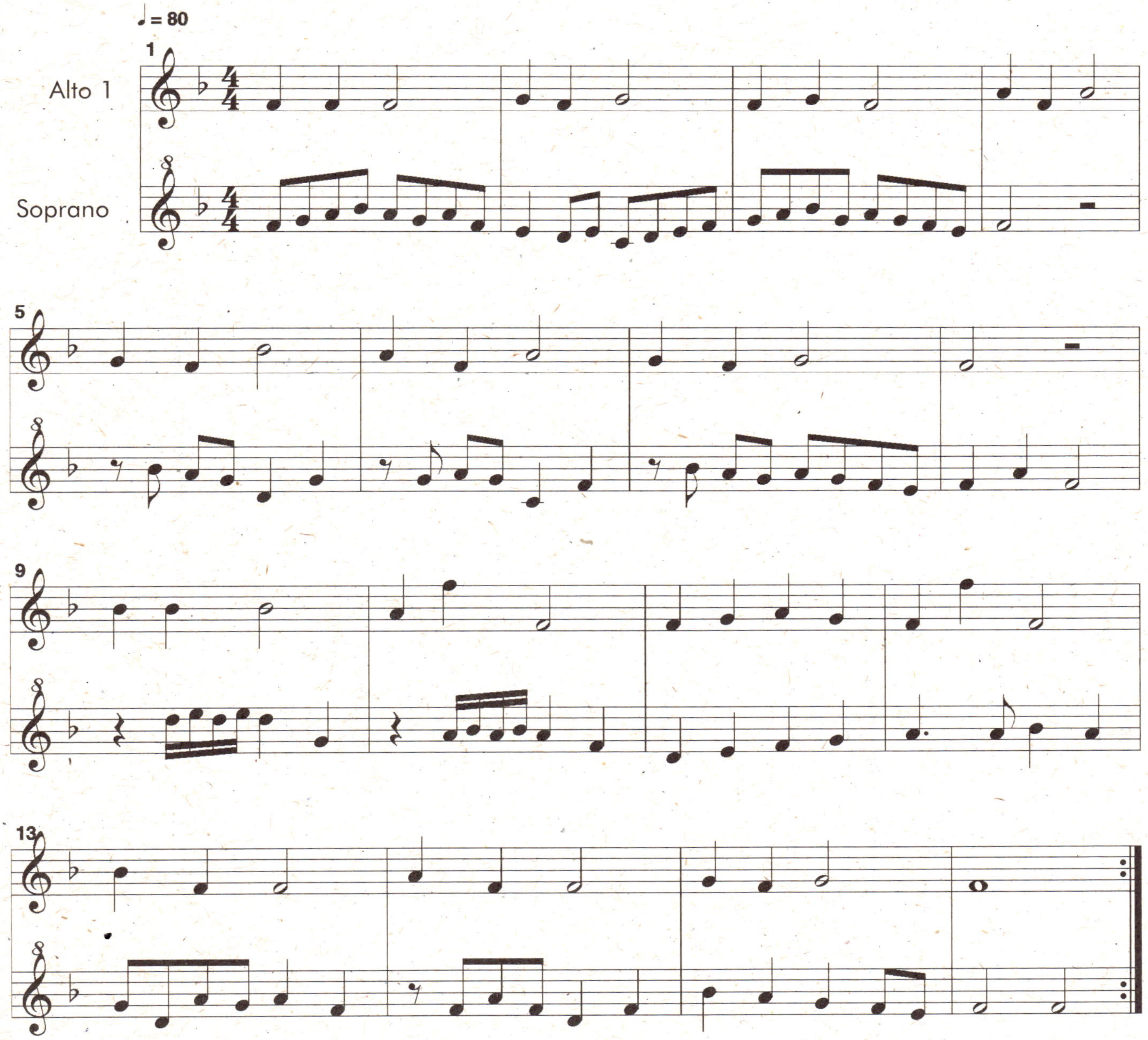

Rosa Silvestre

Werner

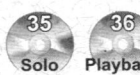

Canon

Mozart

Bom Dia

Cristal A. Velloso

Borboletinha

Folclore Brasil

41 Solo 42 Playback

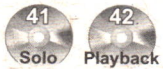

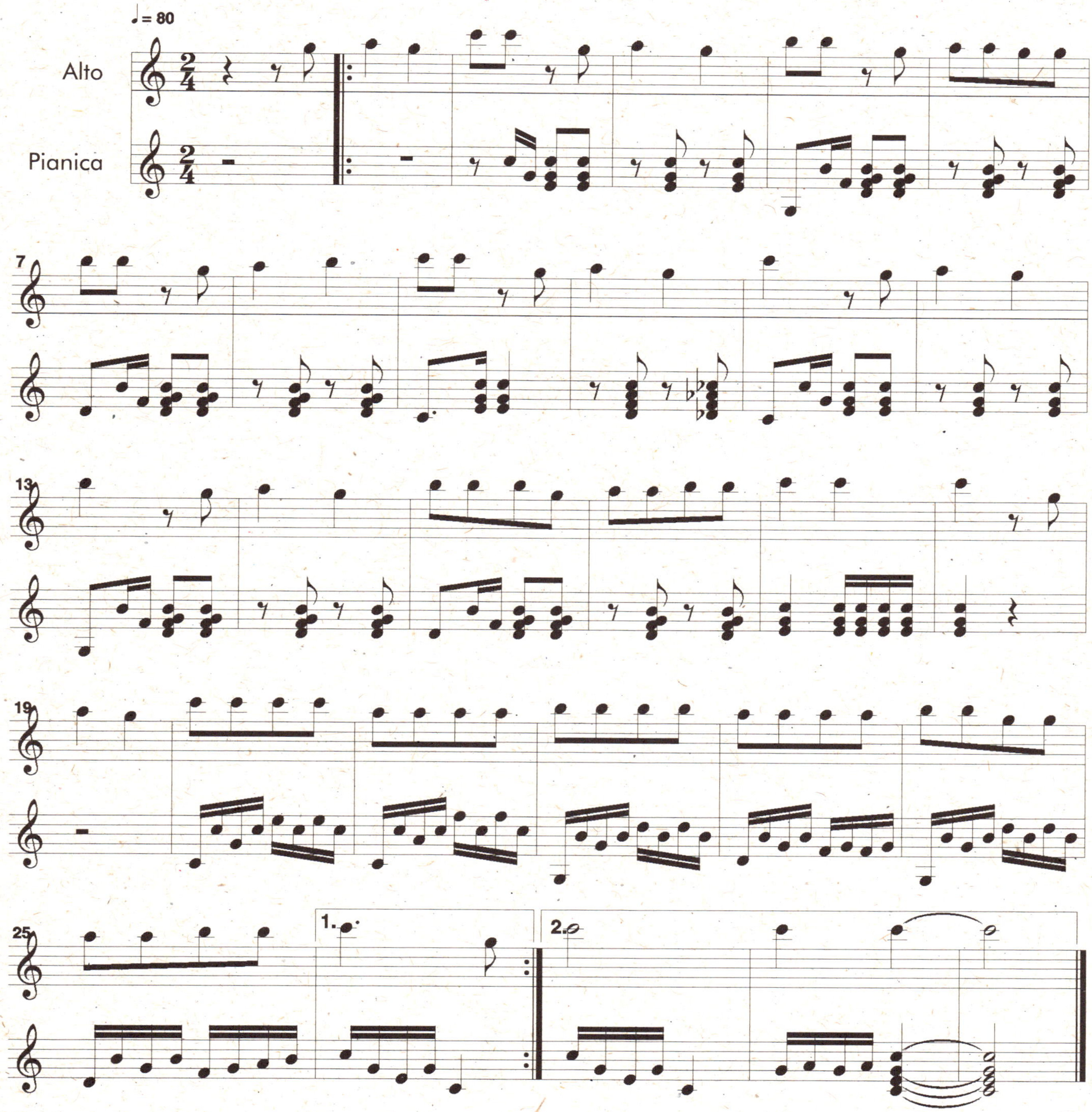

Minueto

J. S. Bach

Graça Eterna

Melodia Inglesa

Siciliana

Caderno de Flauta Doce Contralto

Estude as duas vozes.
Na 1ª voz capriche nos ataques dos sons agudos.
Use articulação dupla nas semicolcheias presentes na 2ª voz, para ter maior velocidade: tu cu tu cu

Relógio

Cristal A. Velloso

O Tempo

Cristal A. Velloso

Persistente

Cristal A. Velloso

Nueces Pequeñas

Bizet

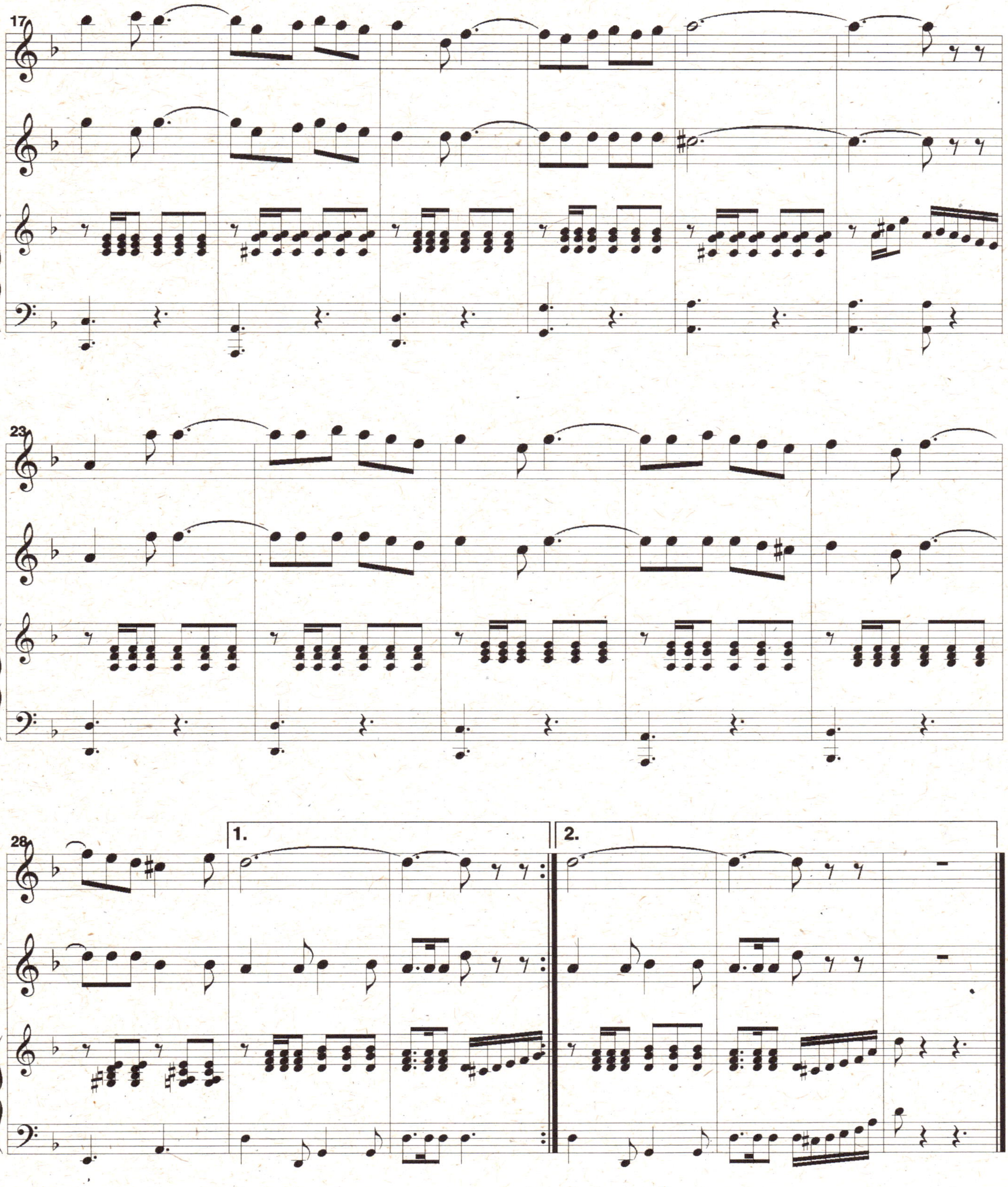
17
23
28
1.
2.

Bambalão

Arranjo: Alex Lameira
Revisão: Cristal A. Velloso

Caderno de Flauta Doce Contralto

43

Minueto

Scarlatti

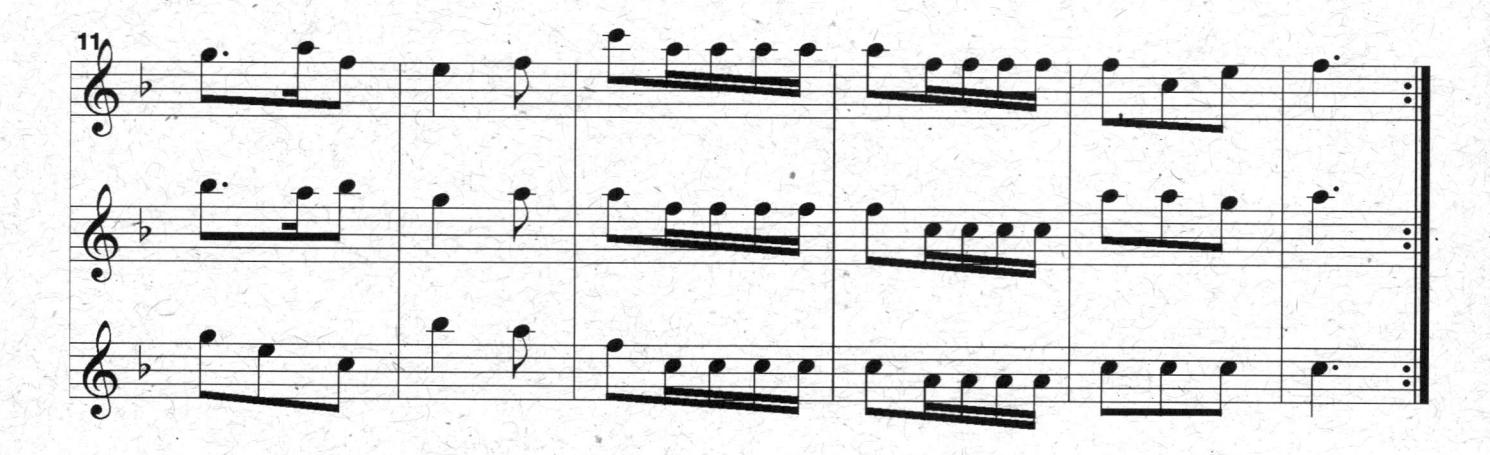

Rondó

Tielman Suzatto

Adeste Fideles

Sonata - Dueto Sib Maior

G. P. Tellemann

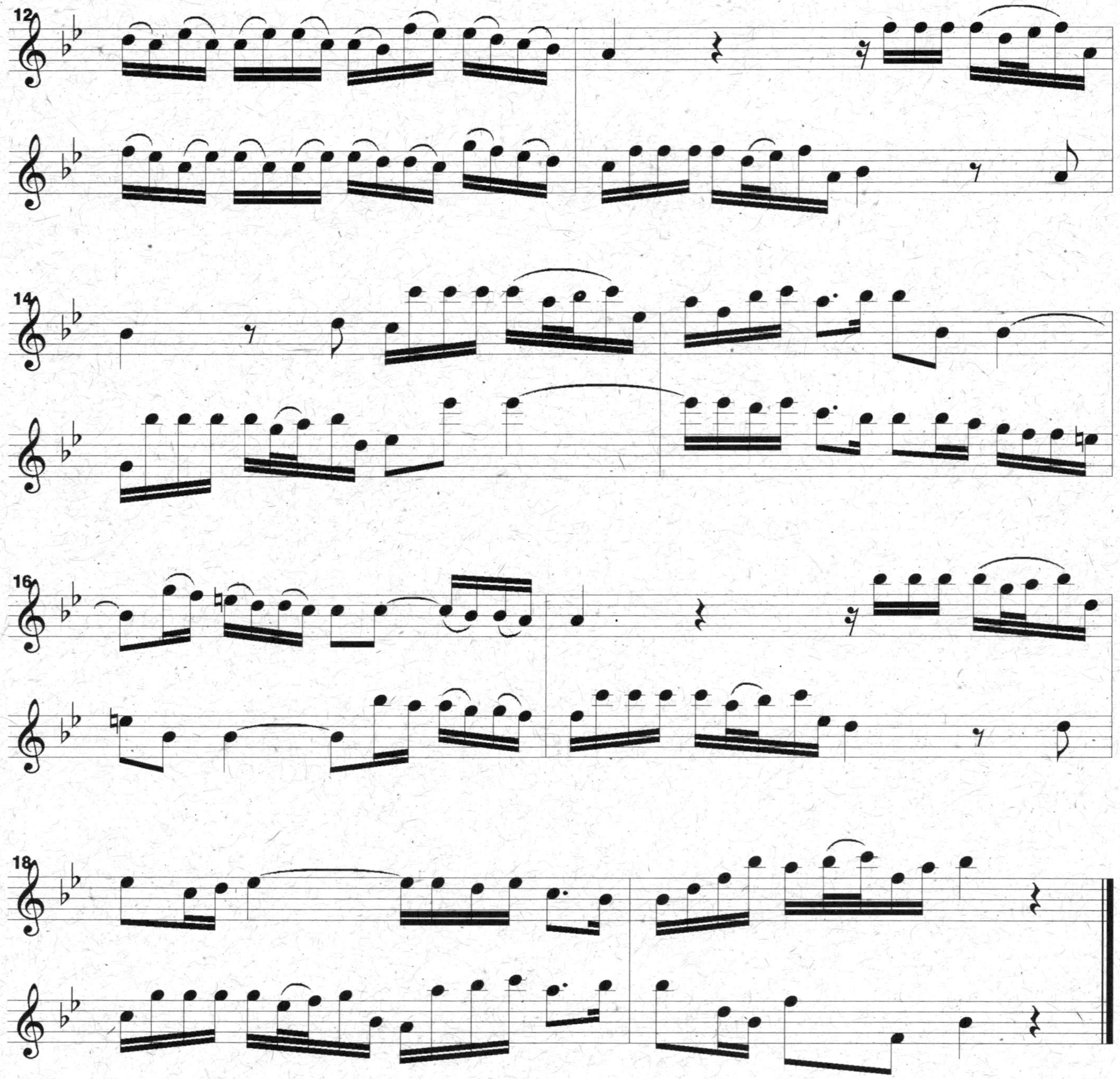
12
14
16
18

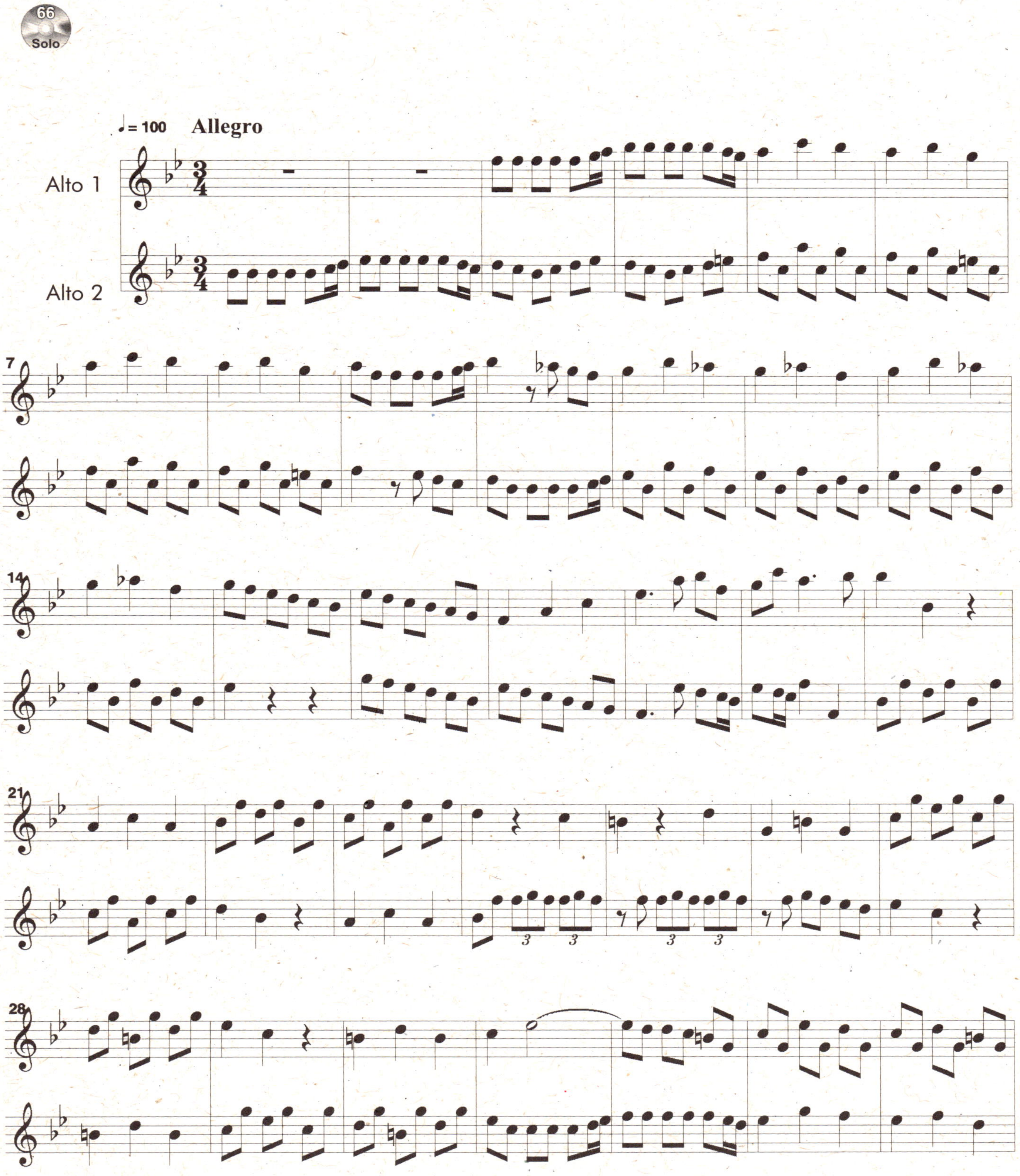
66
Solo
♩= 100
Allegro
Alto 1
Alto 2
7
14
21
28

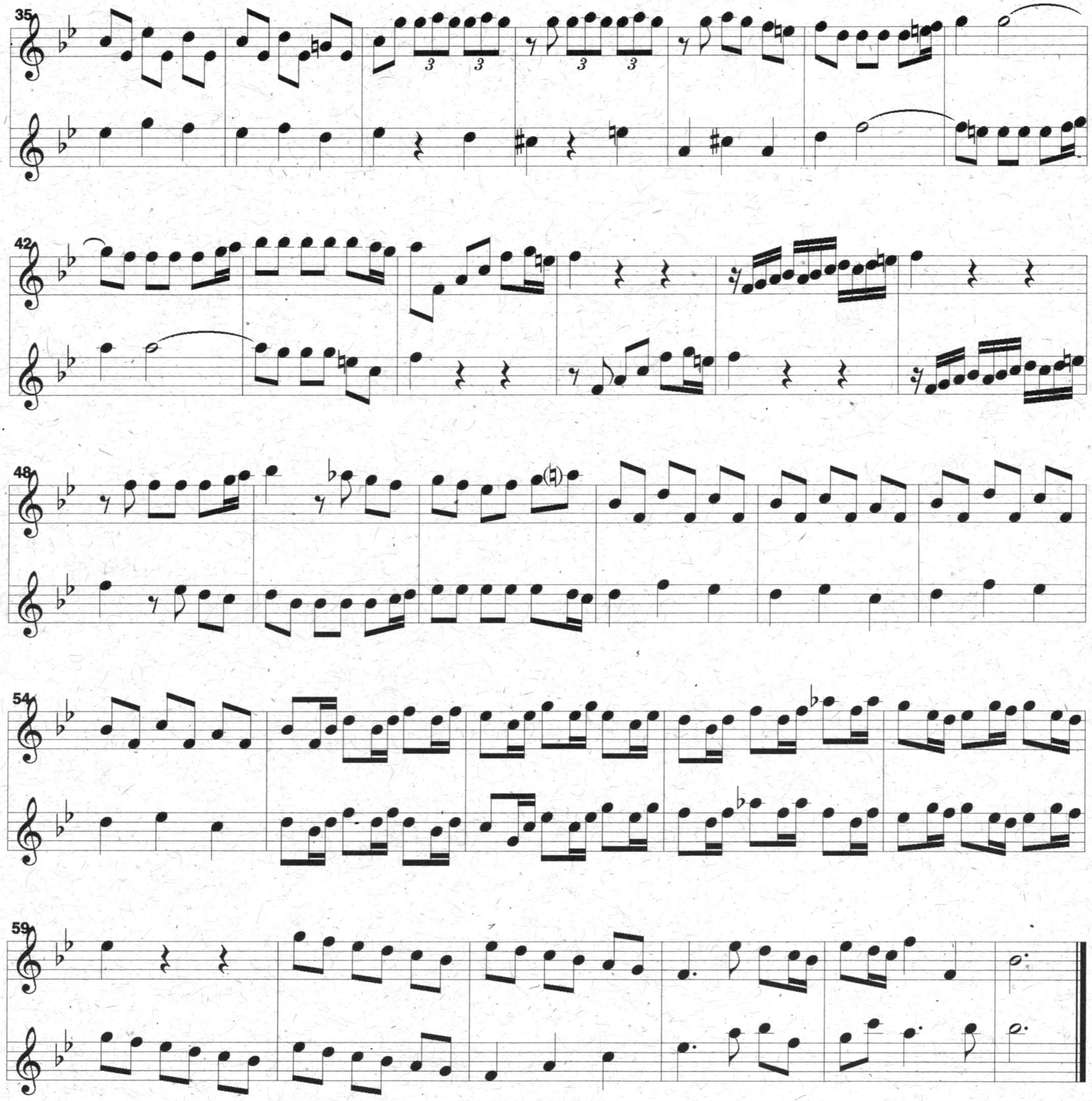
35
42
48
54
59

67 Solo

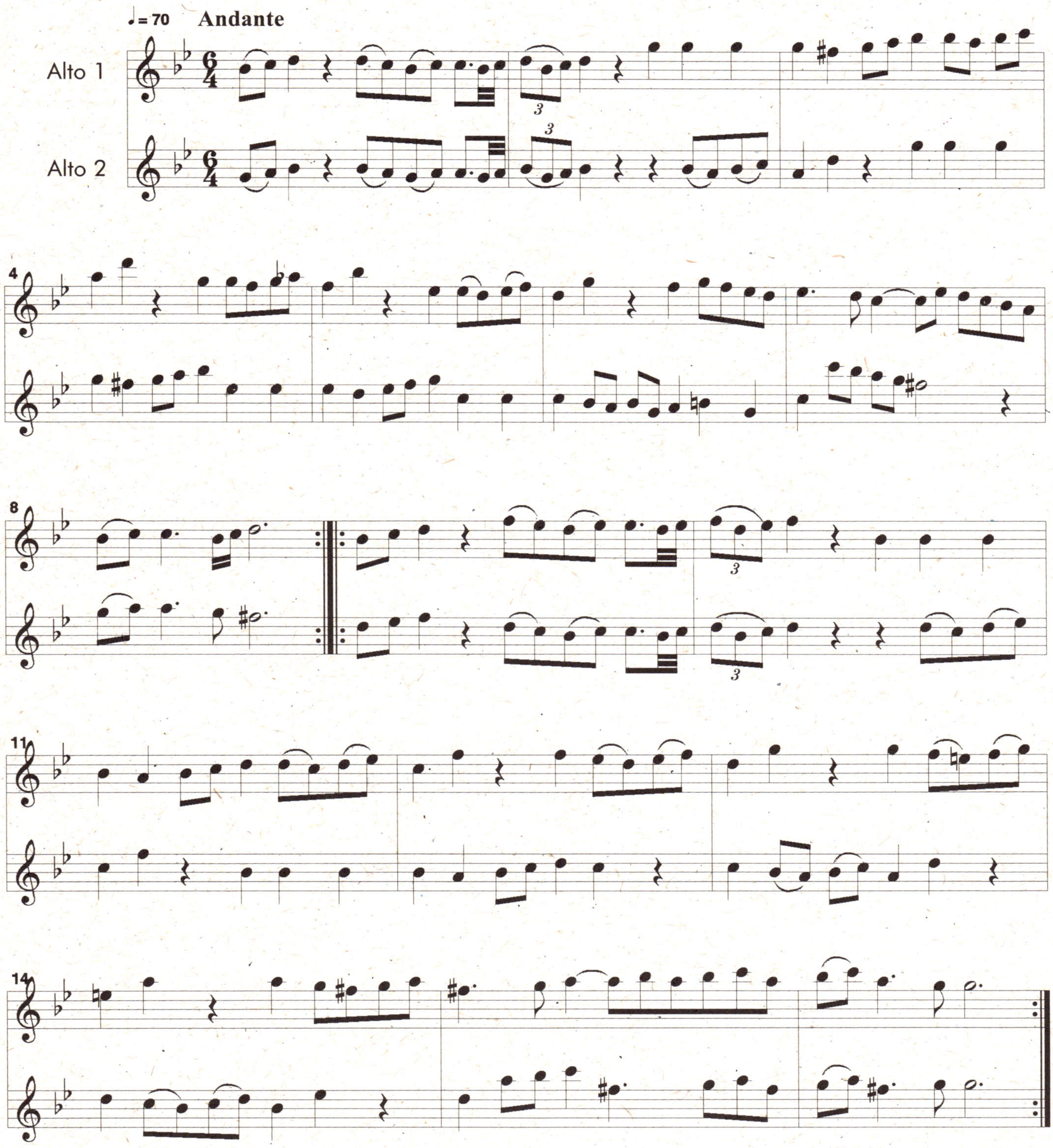

68
Solo

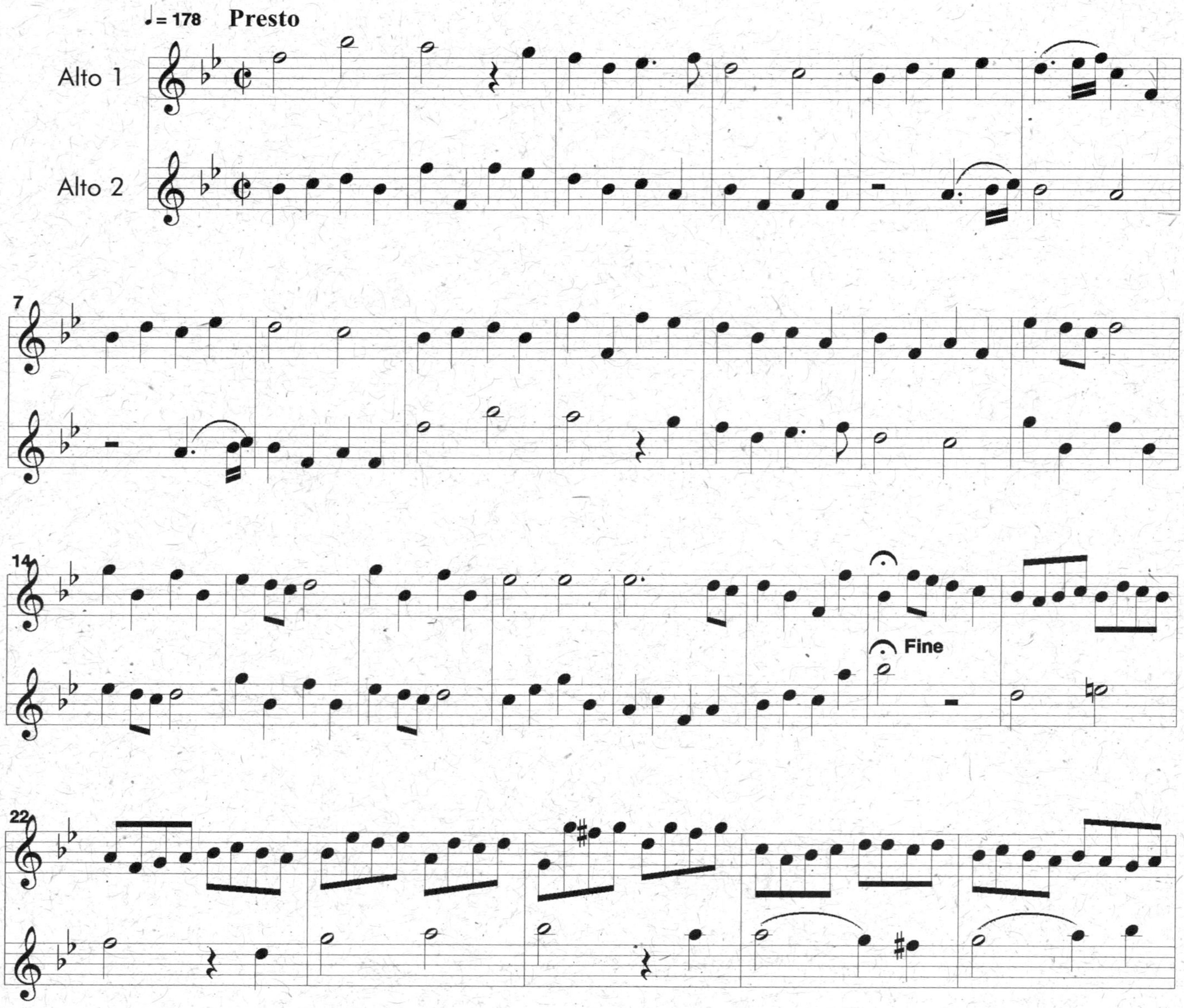

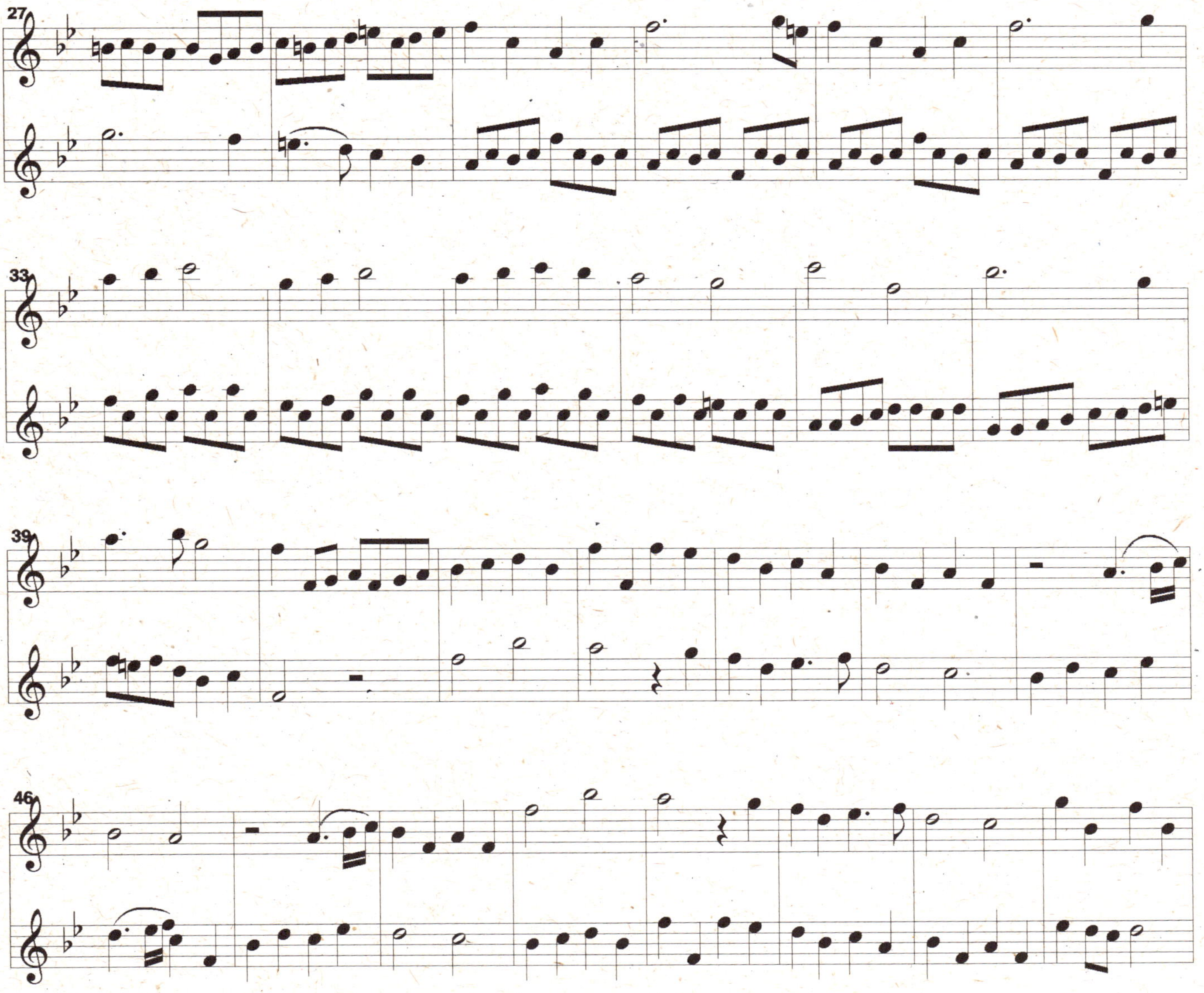
27
33
39
46

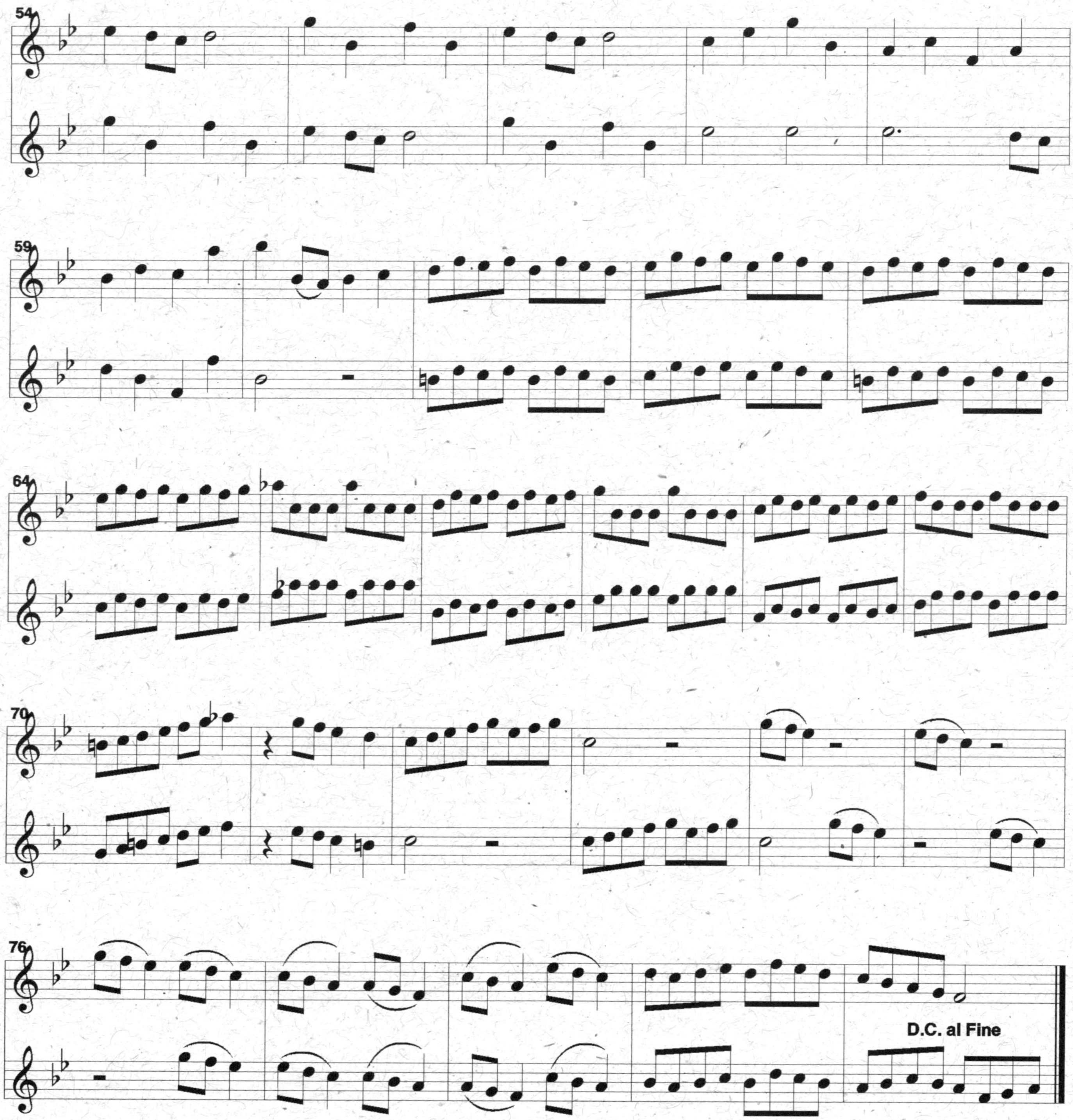
54
59
64
70
76
D.C. al Fine

Dicas de instrumentos para acompanhamento

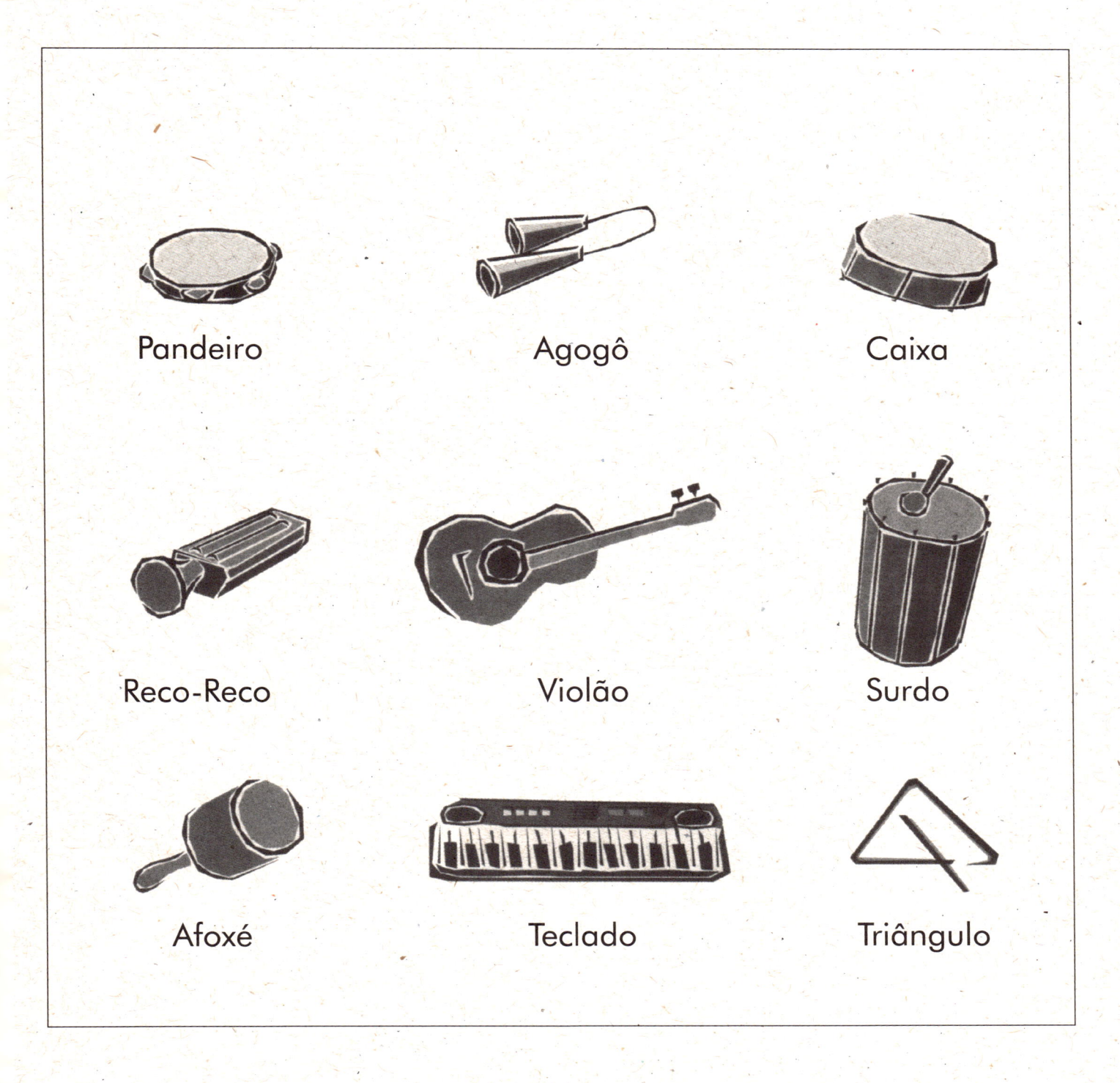

Pandeiro	Agogô	Caixa
Reco-Reco	Violão	Surdo
Afoxé	Teclado	Triângulo

4 Biografia

CRISTAL VELLOSO

Desde 2005, a flautista Cristal Angélica Velloso é coordenadora de difusão musical da Yamaha Musical do Brasil.
Criou e atualmente gerencia os programas Sopro Novo Yamaha musicalização através da flauta doce e Sopro Novo Bandas.
Autora dos cadernos de flauta doce Sopro Novo Yamaha e responsável pela edição dos cadernos de saxofone e trompete do Sopro Novo Bandas, também colabora com artigos em revistas especializadas no segmento musical.
É fundadora e flautista do Quinteto de Flautas Doce Yamaha, que se apresenta regularmente em todo o Brasil.
Representa, como palestrante em seminários, a Yamaha Musical do Brasil em eventos internacionais.
Bacharel em composição e regência pela UNESP, cursou flautas doce e transversal na Fundação das Artes de São Caetano do Sul (FASCS). Especialista em método Orff, pelo Orff Institut de Salzburg (Áustria) e em método Kodaly, pela Universidade Dunakanyar de Estergon (Hungria). Ministrou oficinas em diversas universidades brasileiras sobre essas metodologias.
Lecionou as seguintes disciplinas: método Orff, nos cursos de pós-graduação em musicoterapia das Faculdades Marcelo Tupinambá; métodos e técnicas em educação musical, rítmica e flauta doce na FAINC (Faculdades Salesianas); percepção rítmica e melódica, flauta doce e flauta transversal, musicalização infantil nos cursos básicos e profissionalizantes da FASCS.
Concertista com diversos prêmios em concursos nacionais, Cristal Angélica Velloso atuou ainda como diretora pedagógica da Escola Espaço Arte Integrada. Durante seis anos, foi consultora na área de desenvolvimento de programas da Danton Velloso Agência de Soluções e CEIT&D.
Atualmente, além de coordenadora de difusão musical da Yamaha Musical do Brasil, Cristal Angélica Velloso é palestrante e consultora empresarial em recursos humanos.

Utilize os pentagramas abaixo para registrar suas idéias, dificuldades ou trechos de exercícios que você precisa estudar mais.

O projeto Sopro Novo se mantém graças ao apoio incondicional
da Yamaha Musical do Brasil

Agradecemos a todas as pessoas envolvidas, especialmente às
professoras regionais, monitoras e principalmente aos Alunos,
que são a razão desse trabalho.